Atos dos Apóstolos

Antes de voltar para junto de Deus, Jesus ordenou aos seus discípulos: — Fiquem em Jerusalém até que do céu venha sobre vocês o Espírito Santo. Depois de revestidos, serão minhas testemunhas por toda a Terra. — Jesus, então, subiu aos céus, até desaparecer diante dos olhos dos discípulos, oculto por uma nuvem.

Voltaram para Jerusalém e lá permaneceram, todos em oração, aguardando a promessa de Deus.

Estavam reunidos no cenáculo, quando, de repente, veio do céu um som de vento impetuoso. Logo em seguida, viram línguas de fogo, que pousaram sobre cada um dos que ali se encontravam. No mesmo instante, todos foram cheios do Espírito Santo de Deus e começaram a falar em outras línguas.

Em Jerusalém, habitavam homens de várias nações que ficaram maravilhados de ouvirem os discípulos falarem no idioma de origem de cada um deles. Não encontrando explicação para esse fenômeno (porque os discípulos de Jesus falavam em todos os idiomas) começaram a dizer que eles estavam embriagados.

Pedro, então, colocou-se de pé e disse:

— Homens judeus e todos os que habitam em Jerusalém, não estamos embriagados. Este é o cumprimento das profecias e da promessa de Deus de que receberíamos autoridade celestial para anunciar que Jesus, o homem que morreu crucificado em Jerusalém e que ressuscitou ao terceiro dia é o Cristo, Filho de Deus.

E Pedro continou a pregar, a falar do pecado, do perdão e da salvação. Neste dia, converteram-se quase três mil pessoas.

Depois dessa ocasião, os discípulos (também chamados de apóstolos) começaram a anunciar a Palavra de Deus com autoridade, sabedoria e poder.

Estêvão foi um dos discípulos que anunciou a Palavra com ousadia, realizou muitos milagres e curas entre o povo. Muitos homens, doutores da lei, foram discutir com Estêvão, mas não conseguiam resistir à sabedoria que Deus concedia para ele.

Resolveram prendê-lo com falsas acusações e, depois, condenaram-no à morte por apedrejamento. Enquanto era apedrejado, o rosto de Estêvão brilhava como de um anjo, ele sorriu ao ver os céus abertos e Jesus à direita de Deus. A glória deste momento foi tanta que Estêvão não se importou com a dor, morreu corajosamente.

Mesmo com perseguições, a pregação dos apóstolos continuou, operando conversões e muitos milagres. Certa vez, Pedro e João foram ao templo para orar. Um coxo estava sentado na entrada pedindo esmolas, quando ele implorou a ajuda de Pedro, que disse:

— Não tenho prata nem ouro, mas o que tenho lhe dou: levanta e anda em nome de Jesus. — E, na mesma hora, o coxo levantou-se de um salto e começou a andar perfeitamente. E o número de cristãos crescia cada vez mais.

Felipe, outro apóstolo, recebeu do anjo do Senhor a seguinte ordem:

— Levante-se e vá para a região de Gaza. Felipe foi e no caminho encontrou um homem (superintendente do tesouro da rainha Candace, da Etiópia) lendo as escrituras.

Felipe aproximou-se da carruagem do etíope e perguntou:

— Você está entendendo as escrituras?

E o homem respondeu:

— Como posso entender, se não há ninguém para ensinar?

Então, Felipe explicou palavra por palavra, falou de Jesus e o etíope creu. Chegaram perto de um lugar onde havia água e o etíope pediu para ser batizado. O apóstolo batizou-o e seguiu seu caminho, anunciando a Jesus.

O rei Herodes começou a perseguir os cristãos. Mandou matar Tiago e prendeu Pedro. A igreja orava pedindo a Deus que o libertasse. Pedro estava acorrentado na parede e guardado por soldados romanos.

Era tarde da noite quando, repentinamente, resplandeceu uma luz na prisão. O anjo do Senhor tocou Pedro, despertando-o.

— Pedro, calce suas sandálias, coloque sua capa e venha! — disse o anjo. Pedro seguiu o anjo, pensando que era uma visão. Passou pelos soldados (que dormiam) e, chegando na rua, o anjo desapareceu. Pedro viu, então, que era realidade. Pedro seguiu para a casa onde toda a igreja estava reunida, orando por sua vida. Quando o viram, alegraram-se e louvaram a Deus e a fé de muitos foi fortalecida pelo milagre.

Ninguém conseguiu deter os apóstolos, eles pregaram o evangelho, abriram igrejas, fizeram discípulos e espalharam cristãos por todo o mundo até os dias de hoje.

Paulo

Saulo (que também se chamava Paulo) era um líder judeu. Ele perseguia cristãos e os prendia. Um dia, estava ele indo para a cidade de Damasco, quando, de repente, uma luz resplandecente o cercou.

E, caindo em terra, ouviu uma voz que lhe dizia:

— Saulo, Saulo, por que me persegues? E ele perguntou:

— Quem és, Senhor?

— Sou Jesus, a quem você persegue — —respondeu a voz.

— Senhor, que queres que eu faça?— —perguntou Saulo.

— Levante-se e entre na cidade — disse Jesus. — Lá, vão dizer o que você deve fazer.

Os homens que estavam com Saulo ficaram espantados, ouviram a voz, mas não viram ninguém.

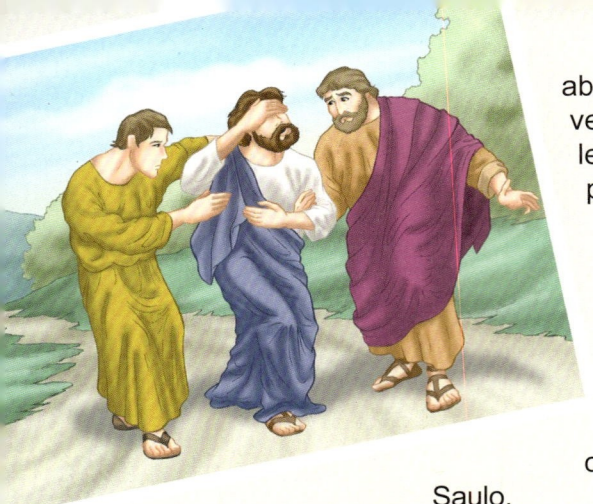

Saulo levantou-se do chão e abrindo os olhos não conseguia ver nada. Guiando-o pela mão, levaram-no para Damasco. Ele permaneceu cego durante 3 dias.

Em Damasco vivia um cristão chamado Ananias. Jesus falou com ele numa visão: — Ananias, vá até a rua Direita, na casa de Judas, e peça para falar com um homem chamado Saulo.

Ananias foi e entrou na casa de Judas. Colocando suas mãos sobre Saulo, disse:

— Irmão Saulo, Jesus que apareceu a você, me enviou, para que volte a enxergar e seja cheio do Espírito Santo.

Na mesma hora, algo parecido com escamas caiu dos olhos de Saulo e ele recuperou a visão. Tendo passado alguns dias com os discípulos em Damasco, logo Saulo já começou a pregar que Jesus era o Filho de Deus. Todos que o ouviam ficavam admirados e diziam:

— Não é este o homem que perseguia os cristãos em Jerusalém?

Saulo, que perseguia, passou a ser perseguido. Os judeus queriam matá-lo em Damasco e, para impedir que ele fugisse, vigiavam as portas da cidade. Mas Saulo conseguiu escapar, através de uma janela no muro da cidade, dentro de um cesto amarrado em uma corda.

E, indo para Jerusalém, uniu-se aos cristãos de lá e passou a pregar o evangelho. Mudou suas atitudes e passou a ser chamado pelo nome de Paulo.

Paulo viajou espalhando as boas-novas sobre Jesus. Sua primeira viagem foi com Barnabé. Em uma cidade chamada Listra, Paulo viu um homem que era paralítico desde nascença, pregou o evangelho de Jesus para ele e, vendo que o homem tinha fé, ordenou que ele se colocasse de pé. O homem deu um salto e começou a andar.

As pessoas daquela cidade pensaram que eles eram deuses, porque faziam milagres. Paulo explicou que quem realizava as obras era a fé no Jesus que ele pregava. A primeira viagem de Paulo durou 2 anos.

Na segunda viagem, Paulo viajou com Silas. Viajaram através da Macedônia até a Grécia. Foram a uma cidade chamada Filipos, onde falaram de Jesus, fizeram muitas curas, porém foram lançados na prisão. No entanto, por volta da meia-noite, Paulo e Silas oravam e cantavam na prisão, quando veio um grande terremoto e abriu todas as portas das celas.

O carcereiro vendo isto tentou se matar, pensando que todos tinham fugido, mas Paulo falou no mesmo instante:

— Não se mate, estamos todos aqui!

O carcereiro trêmulo e maravilhado com o milagre pergunta:

— O que devo fazer para ser salvo?

— Creia no Senhor Jesus e será salvo você e sua família — respondeu Paulo.

Naquela mesma hora da noite o carcereiro os levou para sua casa, ouviram de Paulo acerca do evangelho e todos foram batizados.

Paulo em suas viagens abriu igrejas, batizou pessoas, curou enfermos, tudo isso anunciando a Jesus Cristo, o Filho de Deus.